Christian Seiffert

Treffpunkt D-A-CH

Cultural Reader and Exercise Booklet

English edition by
Regina Hahn

Langenscheidt

Berlin · München · Wien · Zürich · New York

Von Christian Seiffert

English edition: Regina Hahn

Layoutkonzept: Andrea Pfeifer, Kommunikation + Design, München

Illustrationen: Nikola Lainović

Umschlaggestaltung: Svea Stoss, 4S_art direction
unter Verwendung einer Karte von Nikola Lainović

Umschlagsfotos:
Vorderseite:
Hamburg, Speicherstadt: Gisela Grobusch; Berlin, Reichstagsgebäude: shutterstock.com;
Dresden mit Blick auf Frauenkirche: Christoph Münch, Dresden Marketing GmbH; Wien, Parlamentsgebäude:
Lutz Rohrmann; München, Olympiapark: shutterstock.com; Kaffeegedeck: Albert Ringer; © Mozartkugeln:
Café-Konditorei Fürst GmbH, Salzburg; Bern, Bundeshaus, und Vierwaldstättersee: Roland Zumbühl,
www.picswiss.ch; Marburg, Alte Universität: Oliver Geyer; Kölner Karneval: © www.koelntourismus.de;
Reetdachhaus: Christian Seiffert

Umschlagrückseite:
Donau, Wachau: Adolf Riess, pixelio; München, Schloss Nymphenburg: Albert Ringer; Hamburg, St. Michaelis:
Jay Dee, Fotolia; Hamburg, Hafen: Cordula Schurig; Bodensee: Paul Biagiolli, pixelio

Redaktion: Hedwig Miesslinger

Umwelthinweis: gedruckt auf chlorfrei gebleichtem Papier

Satz: Franzis print & media GmbH, München
Printed in Germany

ISBN 978-3-468-96988-1

So grüßt man in Deutschland, Österreich und der Schweiz

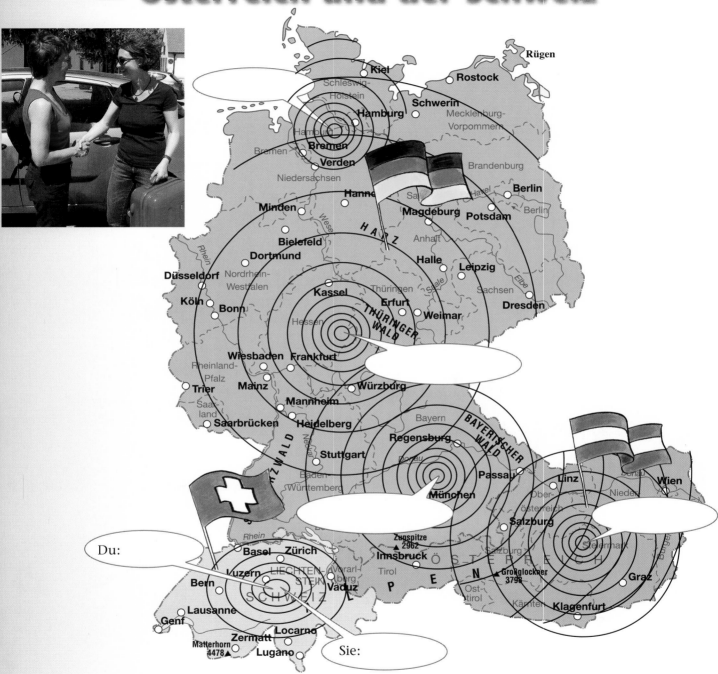

Du:

Sie:

1 Read the text and enter the appropriate greetings on the map.

In Deutschland, Österreich und in der Schweiz sagt man „Guten Tag". Das versteht man in allen drei Ländern. Es gibt aber auch andere Begrüßungen. In Norddeutschland zum Beispiel sagt man „Moin, Moin", in Süddeutschland „Grüß Gott". Auch in Österreich grüßt man mit „Grüß Gott". Man sagt in Österreich zu Freunden aber auch oft „Servus." In der Schweiz grüßt man mit „Gruezi", Freunde grüßt man oft mit „Salü".

2 Read through the city profiles and give a brief introduction to each city.

> … heißt offiziell …
> In … spricht man …
> Die Hauptstadt von … ist …
> … ist … Quadratkilometer groß und hat (circa) … Einwohner.
> Die Nachbarländer von … sind …

> Deutschland heißt offiziell Bundesrepublik Deutschland. Die Hauptstadt von Deutschland ist …

D

Deutschland
Offizieller Name: Bundesrepublik Deutschland
Sprache: Deutsch
Hauptstadt: Berlin
Größe: 357 104 km²
Einwohner: 82 142 000
Nachbarländer: Dänemark, Polen, Tschechien, Österreich, die Schweiz, Frankreich, Luxemburg, Belgien, die Niederlande

Berlin

Wien

A

Österreich
Offizieller Name: Republik Österreich
Sprache: Deutsch
Hauptstadt: Wien
Größe: 83 371 km²
Einwohner: 8 348 233
Nachbarländer: Deutschland, Tschechien, Slowakei, Ungarn, Slowenien, Italien, die Schweiz, Liechtenstein

CH

Schweiz
Offizieller Name: Schweizerische Eidgenossenschaft
Sprachen: Deutsch, Französisch, Italienisch, Rätoromanisch
Hauptstadt*: Bern
Größe: 41 285 km²
Einwohner: 7 700 200
Nachbarländer: Deutschland, Österreich, Liechtenstein, Italien, Frankreich

* Die offizielle Bezeichnung ist „Bundesstadt".

Bern

In Bern

③ You are talking to Livia Esposito. Read and complete the dialog. Then read the text aloud.

aus • Sprechen • kommen • in • mache • ist • …

Sie: Entschuldigung, sind Sie aus Bern?

Livia: Nein, ich bin _____ Milano, Mailand. Ich

         bin Italienerin. Aber ich wohne _____ Bern

         und ich arbeite hier.

Sie: Können Sie mir bitte helfen? Wo ist der

         Zytgloggeturm?

Livia: Wir sind hier in der Rathausgasse. Der

         Zytgloggeturm _____ in der Kramgasse.

Sie: Und das Rathaus?

Livia: Das Rathaus ist hier. Gehen Sie auch

         zum Münster. Das ist sehr schön. Machen Sie Urlaub in Bern?

Sie: Ja, ich _____ Urlaub in Bern.

Livia: Woher _____ Sie?

Sie: Ich komme aus _____. Ich heiße _____. Und Sie?

Livia: Ich bin Livia. Livia Esposito. _____ Sie Italienisch?

Sie: Ich spreche _____. Und Sie?

Livia: Ich spreche Italienisch, Deutsch und ein bisschen Französisch.

Zytgloggeturm

Rathaus

Münster

④ Introduce Livia Esposito.

> *Das ist Livia Esposito. Sie kommt aus … Sie wohnt in …*

⑤ Bern. Indicate what belongs together.

1	Name	A	128 418
2	Größe	B	Schweiz, an der Aare
3	Einwohner	C	51,60 km²
4	Lage	D	Bern

Eine E-Mail aus Wien

6 **Read the e-mail and answer the questions.**

1 Wer kommt aus Wien?
2 Wo wohnt Bettina?
3 Welche Gebäude gibt es in Wien?
4 Was ist der „Prater"?

Wien, Hauptstadt Österreichs, im Nordosten des Landes, an der Donau, in der Nähe der Ostalpen, 414 km², etwa 1,68 Mio. Einwohner (etwa 20% der Landesbevölkerung), Kultur- und Wirtschaftszentrum

Neue E-Mail

Senden Chat Anhang Adressen Schriften Farben Als Entwurf sichern

Von: max.amersberger@mails.at

Datum: Montag, 27. April 2009

An: bettinastruwe@web.de

Betreff: Servus aus Wien

Servus Bettina,

danke für deine E-Mail. Wie geht es dir? Seit wann wohnst du in Frankfurt? Gefällt dir die Stadt? Du kommst im Mai nach Wien. Das ist schön! Wie lange hast du Zeit? Was machen wir? Ich habe ein paar Ideen:

Die Altstadt und das Schloss Schönbrunn sind sehr schön.

Die Wiener Hofburg ist natürlich auch sehr interessant. Da ist das Sisi-Museum. Magst du Museen? Ich mag z. B. das naturhistorische Museum sehr gern.

Oder gehst du gerne ins Theater? Das Burgtheater zeigt „Das Leben ein Traum" von Calderón.

Im Prater (das ist ein großer Park) gibt es den „Wurstlprater", einen Vergnügungspark. Da steht das Riesenrad. Es ist schon über 100 Jahre alt.

Schloss, Museum, Theater, Prater – du siehst, Wien hat viele schöne Seiten. Was möchtest du machen? Ich freue mich auf deinen Besuch!

Liebe Grüße nach Frankfurt
Max

Schloss Schönbrunn

Sisi-Museum

Naturhistorisches Museum

Burgtheater

Prater

---

7 **Search the internet for: What is the Sisi-Museum? What is displayed in the museum?**

Münchener Highlights

8 Read through the internet page and complete the sentences.

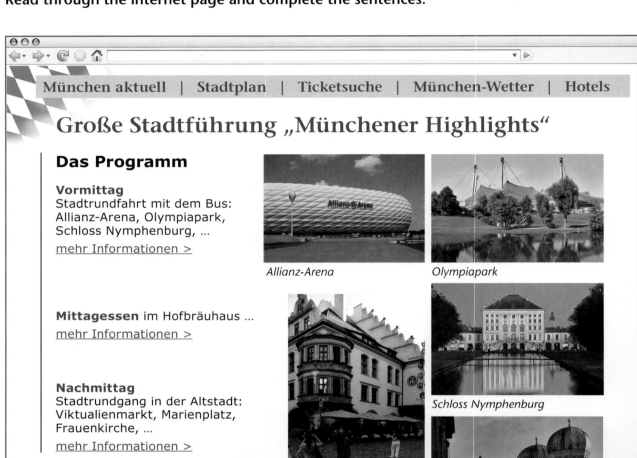

München aktuell | Stadtplan | Ticketsuche | München-Wetter | Hotels

Große Stadtführung „Münchener Highlights"

Das Programm

Vormittag
Stadtrundfahrt mit dem Bus:
Allianz-Arena, Olympiapark,
Schloss Nymphenburg, …

mehr Informationen >

Mittagessen im Hofbräuhaus …
mehr Informationen >

Nachmittag
Stadtrundgang in der Altstadt:
Viktualienmarkt, Marienplatz,
Frauenkirche, …

mehr Informationen >

Allianz-Arena

Olympiapark

Hofbräuhaus

Schloss Nymphenburg

Die Stadt München
- Landeshauptstadt von Bayern
- 1 314 350 Einwohner
- 310,43 km²
- in Süddeutschland
- an der Isar

Viktualienmarkt

Frauenkirche

1 Der FC Bayern München spielt in der _____ -Arena Fußball.

2 Schloss _____ ist nicht modern.

3 Der _____park ist groß.

4 Im _____haus isst und trinkt man traditionell bayrisch.

5 Die _____kirche und der _____markt sind in der Altstadt.

Stadtführung in Hamburg

9 Read the text, study the map, and assign the numbers to the pictures.
Which picture is not mentioned in the text?

St. Pauli-Elbtunnel

Hafen

Moin, Moin.
Herzlich willkommen in Hamburg. Ich bin Thorsten Steffensen und wir machen die „Stadtführung am Wasser", an der Elbe.
Die Führung beginnt mit dem Sankt Pauli-Elbtunnel. Er ist fast 100 Jahre alt. Dann gehen wir zum Hafen. Wir sehen die Hamburger Speicherstadt. Die Speicherstadt ist ein großer Lagerkomplex. Wir gehen auch in die Hafen City. Der Stadtteil ist neu und sehr modern. Und dann sehen wir noch die Fachwerkhäuser in der Deichstraße. Die Führung endet in der Altstadt.
Wir gehen jetzt zum Elbtunnel. Bitte folgen Sie mir.

Hafen City

Speicherstadt

St. Michaelis-Kirche

10 Provide an introduction to Hamburg.

Name: Hamburg
Größe: 755,264 km²
Einwohnerzahl: 1 773 218
Status: Großstadt, Bundesland
Lage: Norddeutschland, an der Elbe

Fachwerkhäuser in der Deichstraße

Eine Postkarte aus Dresden

11 **Read the text on the postcard and match the pictures with the captions below.**

die Hofkirche • der Zwinger • der Fürstenzug • Schiff auf der Elbe und Frauenkirche*

Hallo Anne,   Dresden, 29. Mai 2010

ich mache Urlaub in Dresden. Die Stadt ist sehr schön. Ich sehe mir heute den
Fürstenzug an. Das ist ein Bild mit Pferden und Reitern auf 25.000 Fliesen und
es ist 102 Meter lang. Ich gehe auch in den Zwinger (Teil von einem Barock-
Schloss). Im Zwinger ist eine Gemäldegalerie mit Bildern von Raffael, Tizian und
Rembrandt. Und heute Abend gehe ich in die Semperoper. Ich habe eine Karte
für „Madame Butterfly" von Puccini.
Morgen gehe ich zur Hofkirche und dann ich fahre ich mit einem Schiff auf
der Elbe. Am Montag bin ich wieder zu Hause in Stuttgart und am Dienstag sehen wir uns im Büro. Dann erzähle ich mehr.

Liebe Grüße

Conni

Fliese, die = kleine Platte aus Keramik oder Stein für Fußböden
oder Wände (z. B. im Bad oder in der Küche)

_____   _____   _____   _____

_____   _____   _____   _____

12 **Complete the sentences.**

Heute geht Conni …
Heute Abend …
Morgen geht sie …
Morgen fährt sie …
Am Montag …
Am Dienstag sieht sie …

Semperoper im Frühling

13 **How do you like Dresden?**

interessant • langweilig • (nicht) schön • …

Ich finde Dresden …

Name: Dresden
Status: Landeshauptstadt von Sachsen
Größe: 328,31 km²
Einwohnerzahl: 507 513
Lage: Ostdeutschland, an der Elbe

Geld in Deutschland, Österreich und der Schweiz

14 Read the text and study the pictures. Match the coins and bills with the countries in which they are used. Use "D" for Germany (Deutschland), "A" for Austria, and "CH" for Switzerland (Confoederatio Helvetica).

In Österreich und Deutschland bezahlt man mit Euro und Cent. Die Abkürzung für Euro ist „EUR", das Symbol „€". Die Euro-Scheine sind in allen Euro-Ländern identisch. Euro-Münzen aus Österreich zeigen auf einer Seite Blumen (zum Beispiel das Edelweiß), Gebäude (z. B. den Stephansdom in Wien) oder Personen (z. B. Wolfgang Amadeus Mozart). Auf deutschen Euro-Münzen sieht man einen Eichenzweig, das Brandenburger Tor oder den Bundesadler. In der Schweiz und in Liechtenstein bezahlt man mit Franken und Rappen. Die Abkürzung für Schweizer Franken ist „CHF".

> 1 Euro = 100 Cent
> 1 Franken = 100 Rappen

A Die Goldbären kommen aus
☐ Deutschland.
☐ Österreich.
☐ der Schweiz.

200 g — 1,49 €

400 g

B Die Toblerone kommt aus
☐ Deutschland.
☐ Österreich.
☐ der Schweiz.

6,30 CHF

12 Stück

C Die Mozartkugel kommt aus
☐ Deutschland.
☐ Österreich.
☐ der Schweiz.

15,40 €

15 Look at the pictures on the left, match them with the texts below, and determine in which country the products are made.

1 1890 – Der Konditor Paul Fürst produziert in Salzburg eine Praline:

die erste _____.

2 1908 – Theodor Tobler und Emil Baumann produzieren in Bern eine Schokolade in Form eines Dreiecks:

die erste _____.

3 1922 – Hans Riegel produziert in Bonn Weingummi in Form von kleinen Bären:

die ersten _____.

Im Kaffeehaus

16 Read the "Kaffee-Lexikon" and match the terms with the pictures.

> **i** Das Kaffeehaus gehört zur österreichischen Kultur – seit über 300 Jahren. Es gibt dort viele verschiedene Kaffeespezialitäten. Um 1900 sind die Kaffeehäuser Treffpunkt von Künstlern und Literaten. Man bleibt manchmal viele Stunden, liest Zeitung oder redet. Auch heute noch.

Kleines Kaffee-Lexikon Österreich

___ 1 der kleine Schwarze	= ein Mokka (ähnlich wie Espresso)	
___ 2 der Einspänner	= Mokka im Glas mit Schlagsahne (geschlagene Sahne)	
___ 3 die Melange	= Mokka mit heißer Milch und Milchschaum	
___ 4 Kaffee verkehrt	= viel Milch mit wenig Kaffee	
___ 5 der Braune / ein Brauner	= Mokka mit Sahne (= Kaffeeobers, ungeschlagene Sahne)	

17 Read the dialog. Use the "Kaffee-Lexikon" to write your own dialogues and then read them aloud.

- ● Entschuldigung.
- ○ Ja, bitte?
- ● Was ist ein Einspänner?
- ○ Ein Einspänner ist ein Mokka im Glas mit Schlagsahne.
- ● Ist ein Einspänner mit Alkohol?
- ○ Nein, nur mit Sahne.
- ● Aha. Und was ist eine Melange?
- ○ …

Quiz

1 **Welche Nachbarländer hat Österreich?**

☐ A Deutschland, Frankreich, Ungarn.
☐ B Deutschland, Slowenien, Tschechien.
☐ C Italien, Liechtenstein, Polen.
☐ D Frankreich, die Schweiz, Tschechien.

2 **Berlin liegt im**

☐ A Süden von Deutschland.
☐ B Westen von Deutschland.
☐ C Südosten von Deutschland.
☐ D Nordosten von Deutschland.

3 **Wie viele Menschen leben in der Schweiz?**

☐ A Circa 8 000 000.
☐ B Circa 82 000 000.
☐ C Circa 6 000 000.
☐ D Circa 7 700 000.

4 **Wo sagt man „Grüezi"?**

☐ A In Österreich und in der Schweiz.
☐ B In Deutschland und Österreich.
☐ C In der Schweiz.
☐ D In Norddeutschland.

5 **Mit „Salü" begrüßen sich Freunde in**

☐ A Österreich und Liechtenstein.
☐ B der Schweiz.
☐ C der Ostschweiz und in Ostdeutschland.
☐ D Österreich und Norddeutschland.

6 **Wie heißt ein bekannter Turm in Bern?**

☐ A Zeitglockenturm.
☐ B Swatch Tower.
☐ C Zytgloggeturm.
☐ D Dreikäsehoch.

7 **Der Elbtunnel und die Speicherstadt sind in**

☐ A Hamburg.
☐ B München.
☐ C Dresden.
☐ D Frankfurt.

8 **Welche Gebäude stehen in Dresden?**

☐ A Die Semperoper, die Marienkirche und die Hofburg.
☐ B Der Zwinger, die Hofkirche und die Semperoper.
☐ C Die Semperoper, das Deutsche Museum und das Münster.
☐ D Die Frauenkirche und das Schloss Schönbrunn.

9 **Was sieht man auf Euro-Münzen aus Österreich?**

☐ A Mozart, das Edelweiß und das Riesenrad.
☐ B Einen Eichenzweig, den Stephansdom und das Edelweiß.
☐ C Einen Eichenzweig, das Brandenburger Tor und den Bundesadler.
☐ D Den Stephansdom, Mozart und das Edelweiß.

10 **Mit Franken bezahlt man**

☐ A in Österreich, Liechtenstein und in der Schweiz.
☐ B in Bayern und in Österreich.
☐ C in der Schweiz und in Liechtenstein.
☐ D in Deutschland und Luxemburg.

11 **Wie heißen Cafés in Österreich?**

☐ A Kaffeekränzchen.
☐ B Kaffeebar.
☐ C Kaffeehaus.
☐ D Kaffee und Kuchen.

B

Regionale Spezialitäten und Städtenamen

Hamburger

Berliner

Kassler mit Sauerkraut

Kassel _____

Dresdner Christstollen

Frankfurter Kranz

Nürnberger Bratwürstchen

Münchner Weißwurst

Linzer Torte

Wiener Schnitzel

Zürcher Geschnetzeltes

14

1 Together with your classmates, make a list of German, Austrian, and Swiss meals and foods you know.

> Bratwurst
> Sauerkraut
> Butterbrot
> ...

2 Using the syllables below, assign the proper city to each food shown in the map on page 14. Make sure to capitalize the city names.

ber • berg • burg • chen • den • dres • frank • furt • ham • kas • lin • linz • mün • nürn • rich • sel • wien • zü

3 Enter the dishes and sweets in the two columns below.

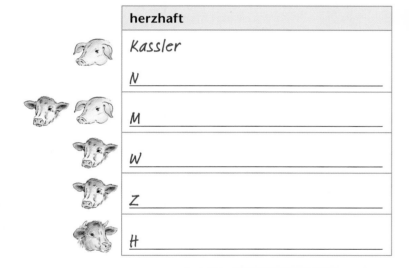

herzhaft
Kassler
N _____
M _____
W _____
Z _____
H _____

süß
Linzer Torte
B _____
F _____
D _____

Im Restaurant

4 Read the menu and look up unfamiliar words in the dictionary.

> *i* In den meisten Restaurants in Deutschland, Österreich und der Schweiz suchen Sie sich selbst einen Tisch. In den Preisen auf der Speisekarte sind die Steuer und der Service inklusive. Sie zahlen den Preis auf der Speisekarte. Sind der Service und das Essen gut? Dann geben Sie 5–10 % Trinkgeld.

Tageskarte

~ ~ ~ ~ ~ ~ ~ ~ ~ ~ ~ ~ ~ ~ ~ ~ ~ ~ ~ ~

Wir empfehlen Ihnen heute:

➢ *Pizza „Vier Jahreszeiten"* (Pilze, Tomaten, Salami, Thunfisch) 7,40 €

➢ *Rösti* mit Bratwurst 8,60 €

➢ *Wiener Schnitzel* mit Pommes frites und Salat 10,40 €

➢ *Schweinebraten* mit Sauerkraut und Semmelknödel 11,80 €

➢ *Rindersteak* mit Kräuterbutter, Kartoffeln und Gemüse 13,50 €

5 First read the dialog on your own and then read it out loud with two of your fellow students. Afterwards write and perform your own dialogs about placing an order in a restaurant. Use the box below for additional expressions.

Kellner:	Guten Tag. Was möchten Sie trinken?
Frau:	Bringen Sie mir bitte ein Wasser.
Kellner:	Ein Wasser. Ja. Und für Sie?
Mann:	Für mich ein Bier.
Kellner:	Ein Wasser und ein Bier. Möchten Sie auch etwas essen?
Frau:	Ja. Ich nehme die Pizza „Vier Jahreszeiten".
Kellner:	Und Sie?
Mann:	Ich hätte gern den Schweinebraten.
Kellner:	Einmal Pizza und einmal Schweinebraten. Gern. Die Getränke kommen sofort.

Kellner/in	Gast
Was darf ich Ihnen bringen?	Ich möchte … (+ Akkusativ)
Was möchten Sie (trinken/essen)?	Ich nehme … (+ Akkusativ)
Und was möchten Sie (essen/trinken)?	Ich hätte gern … (+ Akkusativ)
Und für Sie?	Bringen Sie mir (bitte) … (+ Akkusativ)
Möchten Sie auch etwas essen/trinken?	Für mich … (+ Akkusativ)

Ein Rezept aus der Schweiz

6 Read the recipe, write the words from the recipe beneath the pictures, and number the pictures in the sequence the recipe specifies.

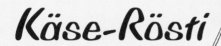

Käse-Rösti

| Zubereitungszeit: | ca. 40 Minuten |
| Schwierigkeit: | leicht |

Zutaten für 4 Personen:
- *1 kg Kartoffeln*
- *250 g Appenzeller Käse*
- *Butter*
- *Salz*

Zubereitung

Die Kartoffeln einen Tag vorher mit der Schale kochen. Kartoffeln kühl stellen.

Die Kartoffeln schälen und mit der Reibe reiben.

Den Käse auch reiben und mit den Kartoffeln mischen. Die Kartoffel-Käse-Mischung salzen.

Butter in einer Bratpfanne heiß machen und die Kartoffel-Käse-Mischung hineingeben. Einen Kuchen formen. Die Pfanne mit einem Teller zudecken. Nach kurzer Zeit die Temperatur ganz klein stellen. Die Rösti etwa 15 Minuten braten.

Dann wenden und wieder zudecken. Noch einmal etwa 15 Minuten braten. Ist die Rösti goldbraun? Fertig.

Servier-Tipp

Zu Käse-Rösti schmeckt ein grüner Salat sehr gut.

die R __ __ __ __ (-n),
rei __ __ __

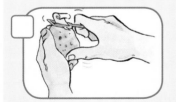

die S__ __ __ __ __ (-n),
sch __ __ __ __

die B __ __ __ __ __ __ __ __ __ (-n) /
die Pf __ __ __ __ (-n), br __ __ __ __

der Kochtopf ("-e),
k __ __ __ __

w __ __ __ __ __

17

Ein Geburtstagsessen

7 **Read through the dialog, then read it aloud with a partner, and complete Bernd's notes.**

● Beate Sander.
○ Hallo Mama.
● Ach, du bist es, Bernd. Hallo. Was gibt's?
○ Du, Sophie hat morgen Geburtstag und ich möchte für sie kochen. Sie mag gern Süßspeisen. Hast du vielleicht eine Idee?
● Mach doch einen Kaiserschmarrn für deine Freundin.
○ Kaiserschmarrn kenne ich. Sophie mag den sicher. Aber wie macht man Kaiserschmarrn? Hast du ein Rezept?
● Ja. Du machst aus Mehl, Milch, Eiern, Zucker und etwas Salz einen Teig.
○ Moment. Wie viele Eier? Wie viel Mehl?
● Für zwei Personen brauchst du zwei Eier, etwa 150 Gramm Mehl, 300 Milliliter Milch, etwa 100 Gramm Puderzucker und eine Messerspitze Salz.
○ Und dann?
● Du machst aus den Zutaten einen Teig. Ach, und du reibst etwas Zitronenschale in den Teig. Du gibst etwas Teig in eine heiße Pfanne mit Butter. Warte, bis die eine Seite fest ist. Dann machst du Stücke und wendest die Stücke. Wenn die Stücke fertig sind, legst

du sie auf einen Teller und streust Puderzucker auf den Kaiserschmarrn. Fertig.
○ Das hört sich einfach an. Wie lange dauert das?
● Etwa 20 Minuten. Das ist mein Privatrezept. Es gibt aber noch viele andere Rezepte.
○ Danke, Mama.

Kaiserschmarrn

Zutaten für _____ Personen

—

—

—

—

—

—

— Butter

8 **Read the text below and mark which dish is for the Emperor.**

Eine Geschichte über den Kaiserschmarrn

Es gibt verschiedene Geschichten über den Namen „Kaiserschmarrn". Eine ist die: Kaiser Franz Joseph (1830–1916) hat zum Nachtisch gerne Palatschinken (eine Art Pfannkuchen) gegessen. Waren die Palatschinken zerrissen, so waren sie für den Kaiser nicht richtig. Dann hat das Personal die Palatschinken als „Kaiserschmarrn" gegessen.

A ☐

B ☐

Zwei Märkte

9 Read both the text and the dialog about the Wiener Naschmarkt. Complete the dialog with words from the text.

Wiener Naschmarkt

Wiener Naschmarkt – so heißt der große Obst- und Gemüsemarkt in Wien. Auf dem Naschmarkt verkaufen die Händler Obst, Gemüse, Brot, Kuchen, Fisch und Fleisch. Auf dem Markt gibt es auch viele internationale Waren. Es gibt über 170 Geschäfte und Restaurants. Viele Stände verkaufen von Montag bis Freitag von 6.00 bis 18.30 Uhr, samstags bis 17.00 Uhr. Die Restaurants sind zum Teil bis 24.00 Uhr geöffnet. Im Sommer sind deshalb auch nachts viele Besucher auf dem Naschmarkt. Am Parkplatz neben dem Naschmarkt gibt es jeden Samstag einen großen Flohmarkt. Er beginnt um 5 Uhr morgens. Hier gibt es auch Antiquitäten.

● Ich gehe am Samstag zum

N __ __ __ __ __ __ __ __ __.
Kommst du mit?

○ Gerne. Dann kaufe ich O __ __ __ und

B __ __ __. Um wie viel Uhr gehst du
zum Markt?

● Um acht.

○ Um acht? Warum so früh?

● Ich gehe erst zum

F __ __ __ __ __ __ __ __ und dann zum
Naschmarkt.

○ Flohmarkt? Nein, dazu habe ich keine Lust.

● Schade. Ich mag A __ __ __ __ __ __ -
__ __ __ __ __. Kommst du am Mittag mit

in ein R __ __ __ __ __ __ __ __ __?

○ Ja, gern. Um wie viel U __ __?

● U__ zwölf.

○ Dann kaufe ich am Nachmittag ein. Bis wann

hat der M __ __ __ __ auf?

● B __ __ 17 Uhr.

10 Read the text and answer the questions.

Fischmarkt Hamburg

Jeden Sonntag findet der Fischmarkt am Hafen statt. Der Markt beginnt früh: Von 5 Uhr (im Winter von 7 Uhr) bis 9:30 Uhr hat der Fischmarkt geöffnet. Manche Besucher kommen direkt aus dem Hamburger Nachtleben zum Fischmarkt. Viele kaufen hier billig Obst, Fisch oder Wurst. Viele möchten aber auch nur die Marktschreier sehen und hören. Die Händler verkaufen hier fast alles: Tiere, Lebensmittel, Blumen, Spielsachen. Wenn der Markt fast zu Ende ist, sind die Waren sehr billig. In der Fischauktionshalle isst und tanzt man zu Jazz-, Country- oder Western-Musik. Der Eintritt ist frei.

Nachtleben, das = (hier) Besuch von Restaurants, Bars und Veranstaltungen in der Nacht
Marktschreier, der = Händler, der mit lauter Stimme Werbung für seine Waren macht

A Wann beginnt der Fischmarkt?
Im Frühling, Sommer und Herbst: _____. Im Winter: _____.

B Wie viele Stunden ist der Fischmarkt geöffnet?

Im Frühling, Sommer und Herbst: _____. Im Winter: _____.

C Was verkaufen die Händler auf dem Fischmarkt? _____.

D Welche Musik gibt es in der Fischauktionshalle? _____.

Im Herbst und im Advent

11 **Work together with a partner. Read one text (A or B) and subsequently answer the questions your partner asks you about your text.**

Seit wann gibt es …? (+ Akkusativ)
Wann beginnt …?
Wie lange dauert …
Wo findet … statt?
Wie viele Besucher kommen?
Was gibt es da?

> *Seit wann gibt es die Basler Herbstmesse?*

> *Seit vierzehnhunderteinundsiebzig.*

A Die Basler Herbstmesse

Die Basler Herbstmesse gibt es seit 1471. Die Herbstmesse beginnt jedes Jahr am letzten Samstag im Oktober um zwölf Uhr und dauert 16 Tage. Die Messe findet auf sieben Plätzen und in einer Messehalle statt. Jeder Platz hat einen anderen Charakter. Es gibt viele Fahrgeschäfte und viele Stände mit Speisen und Süßigkeiten. Die erste Fahrt mit den Fahrgeschäften ist traditionell kostenlos. Etwa eine Million Menschen kommen im Jahr auf die Messe. Besonders interessant ist der Petersplatz mit dem Krämermarkt. Hier gibt es viele Stände mit Kunsthandwerk. An den Imbissständen verkauft man zum Beispiel Würstchen, Schweizer Käse- oder Curry-Spezialitäten.

Messe, die = (hier) Ausstellung von Waren, Volksfest
Fahrgeschäft, das = z. B. Karussell, Riesenrad, …
Krämer, der = Händler
Kunsthandwerk, das = künstlerische Produktion von Gebrauchsgegenständen oder Schmuck

B Der Nürnberger Christkindlesmarkt

Seit über 300 Jahren gibt es den Nürnberger Christkindlesmarkt. Der Weihnachtsmarkt findet jedes Jahr im Advent in der Altstadt von Nürnberg statt. Jährlich kommen etwa zwei Millionen Besucher zum Christkindlesmarkt. Viele Besucher kommen aus dem Ausland. Der Markt beginnt immer am Freitag vor dem ersten Advent und endet immer am 23. oder 24. Dezember. Das sind drei bis vier Wochen. Auf dem Markt gibt es etwa 160 Verkaufsstände mit Kinderspielzeug, Weihnachtsschmuck und Haushaltsartikeln. Es gibt Nürnberger Lebkuchen und Nürnberger Bratwürste. Eine Besonderheit ist der Markt der Partnerstädte am Rathausplatz. Hier gibt es Spezialitäten aus den Partnerstädten von Nürnberg, zum Beispiel aus Antalya (Türkei), Atlanta (USA) und Charkiw (Ukraine).

Schmuck, der = etwas, das eine Person oder eine Sache schön macht
Haushaltsartikel, der = z. B. ein Topf, ein Becher, ein Besen

Jahreszeiten

12 **Look at the pictures below and determine which seasons they show. Enter the seasons and months below the pictures.**

April • August • Dezember • Februar • Frühling • Herbst • Januar • Juli • Juni • März • Mai • November • Oktober • September • Sommer • Winter

Guess which countries (Germany, Austria, Switzerland) the pictures show. Mark the pictures as "D" for Germany (Deutschland), "A" for Austria, or "CH" for Switzerland (Confoederatio Helvetica). Compare results with your classmates.

Ⓐ

Jahreszeit: _____

Monate: _____,

_____

☐ D   ☐ A   ☐ CH

Ⓑ

Jahreszeit: _____

Monate: _____,

_____

☐ D   ☐ A   ☐ CH

Ⓒ

Jahreszeit: _____

Monate: _____,

_____

☐ D   ☐ A   ☐ CH

Ⓓ

Jahreszeit: _____

Monate: _____,

_____

☐ D   ☐ A   ☐ CH

D-A-CH-Fenster

In den deutschsprachigen Ländern gibt es manchmal für die gleiche Sache verschiedene Wörter. Das typische Wort für Deutschland, Österreich und die Schweiz finden Sie in den D-A-CH-Fenstern.

D	A	CH
die Geldbörse / das Portemonnaie	die Geldtasche	das Portemonnaie
das Café	das Kaffeehaus	das Café
die Fleischerei/Metzgerei	die Fleischhauerei/Metzgerei	die Metzgerei
das Frühstück	das Frühstück	das Morgenessen
der Imbiss / die Brotzeit (Süd-D)	die Jause	das Znüni (vormittags) / das Zvieri (nachmittags)
die Nachspeise / der Nachtisch / das Dessert	die Nachspeise	das Dessert
das Hähnchen / das Hendl (Süd-D)	das Hendl	das Poulet
die Tomate	der Paradeiser	die Tomate
der Pilz	das Schwammerl	der Pilz
die Kartoffel	der Erdapfel	die Kartoffel
die Sahne	das Obers	der Rahm
das Brötchen (Nord-D) / die Semmel (Süd-D)	die Semmel	das Weggli, das Bürli
der Pfannkuchen	die Palatschinke (meist Plural, die -n)	die Omelette

Städte-Rätsel (Sudoku)

13 **Enter the missing words in group 5 and group 6 below. Using the six word groups, enter the missing words in the table below. Six fields belong to each city and only one word of each group appears in each column and each row.**

1 **Städtenamen:** Hamburg • Köln • Leipzig • München • Wien • Zürich

2 **Einwohnerinnen:** Hamburgerin • Kölnerin • Leipzigerin • Münchnerin • Wienerin • Zürcherin

3 **Länder/Regionen:** Norddeutschland • Ostdeutschland • Österreich • Schweiz • Süddeutschland • Westdeutschland

4 **Gebäude:** Elbtunnel • Frauenkirche • Fraumünsterkirche • Kölner Dom • Media City Leipzig* • Schloss Schönbrunn

5 **Feste/Veranstaltungen/Märkte:** _Hamburger_ Fischmarkt • Kölner Karneval • Leipziger Buchmesse • Oktoberfest • _Wiener_ Naschmarkt • Zurich Film Festival (ZFF)

6 **Speisen:** Hamburger – „Kölner Kaviar"** • _Leipziger_ Allerlei • _Münchner_ Weißwurst • _Wiener_ Schnitzel • _Zürcher_ Geschnetzeltes

---

* Studios für Fernseh- und Filmproduktionen
** ≠ Kaviar = Blutwurst mit Zwiebeln

Köln	Kölner Kaviar	Kölnerin	Leipziger Buchmesse	Ostdeutschland	Media City Leipzig
West Deutschland	Kölner Karnival	Kölner Dom	Leipzigerin	Leipziger Allerlei	Leipzig
Zurich Film Festival	Fraumunster Kirch	Schweiz	München	Münchnerin	Münchner Weißwurst
Zürcher Geschnetzeltes	Zürcherin	Zurich	Süd-deutsch-land	Fraunkirche	Oktober-fest
Hamburgerin	Hamburg	Hamburger	Schloss Schönbrunn	Wiener Naschmarkt	Österreich
Elbtunnel	Norddeutsch land	Hamburger Fischmarkt	Wiener Schnitzel	Wien	Weinerin

Urlaub, aber wo?

Sylt. Die Insel liegt in der Nordsee. Sie ist fast 100 km² groß und mit dem deutschen Festland durch eine Eisenbahnlinie verbunden. Sylt hat einen etwa 40 km langen Sandstrand.

Der Vierwaldstättersee liegt zwischen Bergen in der Zentralschweiz. Er ist etwa 114 km² groß und bis zu 214 m tief. Am See liegt die „Rütliwiese" – ein berühmter Platz in der Schweiz. Hier haben die drei Kantone Uri, Schwyz und Unterwalden im Jahr 1291 ein Bündnis geschlossen („Rütlischwur"). Das gilt als die Geburtsstunde der Schweiz.

Die Donau. Der Fluss ist über 2800 Kilometer lang und fließt vom Schwarzwald in Deutschland bis ins Schwarze Meer. Die Donau fließt durch viele Länder oder ist ein Teil der Landesgrenzen. An der Donau liegen auch die Millionenstädte Wien, Budapest und Belgrad.

Der Rhein. Der Fluss ist eine große und wichtige Wasserverkehrsstraße in Europa. Er kommt aus den Alpen, aus der Schweiz, und fließt vom Bodensee durch Deutschland und die Niederlande in die Nordsee. Für Liechtenstein, Österreich und Frankreich ist der Rhein ein Teil der Landesgrenze. Der Rhein ist etwa 1324 Kilometer lang.

Der Neusiedler See gehört zu Österreich und Ungarn. Er ist nur etwa 1,8 m tief, aber mehr als 140 km² groß. Das Klima ist mild und windig. Der See gehört zu einem Nationalpark und zum UNESCO-Welterbe.

1 **Bettina and Peter talk about their vacation. Look at the pictures and read the texts.**

2 **Now read the dialog and the SMS. Complete the table:** *Wer war wo?*

Peter: Wo möchtest du dieses Jahr Urlaub machen?

Bettina: Ich weiß noch nicht. Ich möchte aber nicht so weit fahren wie letztes Jahr.

Peter: Ich auch nicht. Unser Urlaub auf Sylt war schön: Meer, Wind und Strand, aber die Fahrt bis zur Nordsee war wirklich anstrengend. Möchtest du denn wieder ans Wasser?

Bettina: Ich denke schon. Ich habe so oft Urlaub in Großstädten gemacht: Berlin, Paris, Amsterdam, …

Peter: Vielleicht Urlaub an einem See? Oder an einem Fluss?

Bettina: Ich habe da was im Katalog gesehen … Hier: eine Flussreise auf der Donau. Sechs Tage. In Passau geht es los. Die Fahrt geht nach Budapest. Hinfahrt mit Halt in Wien, Rückfahrt mit Halt in Bratislava, Krems und Melk.

Peter: Auf der Donau bin ich schon mit dem Schiff gefahren. Das ist sehr schön und Passau ist auch nicht weit, aber ich möchte im Urlaub etwas Neues kennenlernen.

Bettina: Schade. Was hat Matthias erzählt? Er war vor zwei Jahren am Vierwaldstättersee. Und es hat ihm gut gefallen. Wasser und Berge, das ist doch toll.

Peter: Ja, das finde ich auch schön. Und ich bin da noch nicht gewesen. Ist da nicht die Rütliwiese?

Bettina: Ich glaube schon. Moment, mein Handy klingelt – eine SMS von Carolin.

> Hallo Bettina! Ihr sucht ein schönes Urlaubsziel? Ich war letztes Jahr am Neusiedler See. Segeln, surfen, Rad fahren: Super! Das kann ich nur empfehlen. Gruß, Carolin

Bettina: Carolin war am Neusiedler See. Sie ist gesegelt, gesurft und Rad gefahren. Das hört sich auch gut an. Was meinst du?

Peter: Neusiedler See? Da war ich auch noch nicht. Wir können ja mal im Internet nachsehen und Angebote vergleichen.

Bettina: Gute Idee.

Wer war wo?

Bettina	Peter	Bettina & Peter	Matthias	Carolin
Berlin				

3 **Where in Germany, Austria, or Switzerland have you been? Which cities, regions, or attractions do you know from the media? Please report.**

4 **Search the internet for: What is the** *Rütlischwur?*

Tourismus in Deutschland, Österreich und der Schweiz

5 Read the text and select an appropriate title.

A ☐ **Österreicher unterwegs**

B ☐ *Deutschlands Nachbarländer*

C ☑ **Woher kommen die Touristen?**

D ☐ **Amerikaner in der Schweiz**

Der Tourismus ist für Deutschland, Österreich und die Schweiz wirtschaftlich wichtig. Menschen aus aller Welt kommen in die deutschsprachigen Länder. Amerikaner und Engländer sind zum Beispiel sehr wichtige Touristengruppen in Deutschland und in der Schweiz. Die größten Touristengruppen aus dem Ausland sind aber direkte Nachbarn: In Deutschland sind es die Niederländer, in Österreich und der Schweiz die Deutschen. Touristen aus den Niederlanden sind in Österreich auf Platz 2. Auf Platz 3 sind in Österreich aber auch direkte Nachbarn: die Italiener.

6 Read the text again and complete the sentences.

Nach Deutschland kommen viele Touristen aus den ___den Niederlanden___, ___Amerika___ und ___England___.

Nach Österreich kommen viele Touristen aus ___Deutschland___, ___den Niederland___ und ___Italien___.

In die Schweiz kommen viele Touristen aus ___Amerika___, ___Deutschland___ und ___England___.

7 Look at the three pictures and guess where German, Austrian, and Swiss tourists like to spend their vacation. After you have placed your checkmarks, read the text on page 27, and compare.

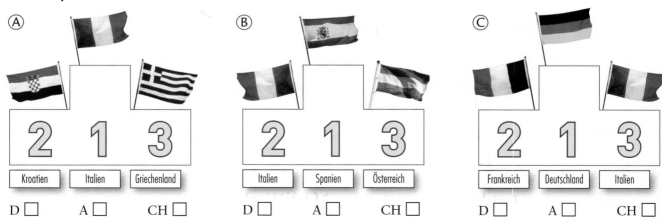

A		
Kroatien	Italien	Griechenland

D ☐   A ☐   CH ☐

B		
Italien	Spanien	Österreich

D ☐   A ☐   CH ☐

C		
Frankreich	Deutschland	Italien

D ☐   A ☐   CH ☐

Wo machen Deutsche, Österreicher und Schweizer gerne Urlaub?

Deutschsprachige Touristen machen gern Urlaub im eigenen Land, aber auch andere europäische Länder sind beliebte Reiseziele. Ein Auslandsziel ist für Österreicher, Schweizer und Deutsche sehr attraktiv: Italien. Bei den Österreichern steht der Nachbar Italien auf Platz 1, bei den Deutschen auf Platz 2 und bei den Schweizern ist der Nachbar auf Platz 3 der Lieblingsziele. Österreicher verreisen auch sehr gern nach Kroatien und Griechenland. Für die Deutschen ist Spanien die Nummer 1 und an dritter Stelle kommt Österreich. Das Lieblingsreiseziel der Schweizer ist Deutschland und auf dem zweiten Platz steht auch ein Nachbarland: Frankreich.

8 Read the text and complete the diagram with the numbers (in millions, e.g. 1 800 000 = 1,8 Mio.).

Urlaub bei den Nachbarn – in Zahlen

Schweizer, Österreicher und Deutsche besuchen sich gern. In Zahlen heißt das: Deutsche waren im Jahr 2007 etwa 48 200 000 Nächte in Österreich, 6 Millionen Mal haben sie in der Schweiz übernachtet. Die Österreicher sind 2,3 Millionen Mal über Nacht in Deutschland geblieben. 400 000 Mal in der Schweiz. Und die Schweizer waren 3,4 Millionen Nächte in Deutschland und 3,7 Millionen Mal in Österreich.

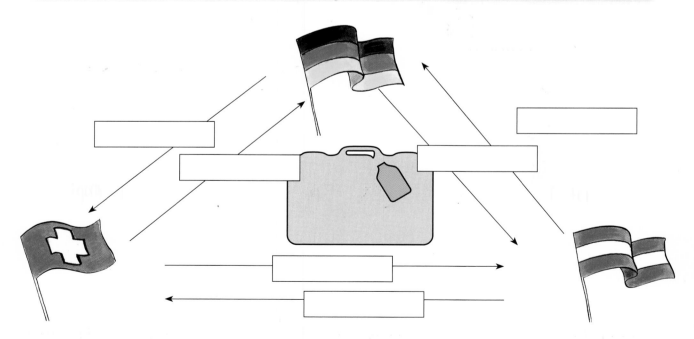

9 Tourists in your city or region: Which countries do they come from? Which languages do you (often) hear in your neighborhood?

10 **First read sentences 1 through 6 and then read the internet page. Indicate where you find the information.**

1 Sie möchten eine E-Mail an die Vermieter schreiben.   _L_

2 Wie kommt man mit dem Auto zu dem Haus?   ____

3 Sie möchten ein Zimmer / das Haus buchen.   ____

4 Wo können Sie essen/kochen?   ____

5 Hat das Zimmer / das Haus einen Fernseher?   ____   ☐ Ja   ☐ Nein

6 Müssen Sie Handtücher mitnehmen?   ____   ☐ Ja   ☐ Nein

Ferienwohnungen und Ferienhäuser in Österreich und Deutschland

*typisch: Reetdach
Material: das Reet / das Schilf*

typisch: Balkon (oft an mehreren Seiten); Material: Holz

Familienpension Heisenhof		**Ferienhaus Johannsen** ★ ★ ★ ★
Alpenhaus-Pension in Tirol mit Doppel- und Familien-zimmern, Ski-Langlauf direkt vom Haus aus möglich, Alpen-Panorama	A	Reetdach-Ferienhaus für bis zu 7 Personen, ca. 110 m² Wohnfläche, 10 Minuten Fußweg vom Strand, Nicht-raucher
Alle Zimmer mit Dusche, WC, TV und Telefon	B	4 Schlafzimmer, 1 Wohnzimmer mit Fernseher und DVD-Player
Vollpension (Frühstück, Mittag- und Abendessen) oder Halbpension (Frühstück und Abendessen)	C	Küche mit Herd, Backofen, Mikrowelle, Geschirrspül-maschine, Kühl- und Gefrierschrank
Bett- und Badwäsche inklusive	D	Bett- und Badwäsche inklusive
Aufenthalt: ab 1 Nacht	E	Aufenthalt: mindestens 1 Woche
Mehr Informationen:		**Mehr Informationen:**
Preise	F	Preise
Anfahrt	G	Anfahrt
Buchung	H	Buchung
Natur	I	Natur
Sport	J	Sport
Einkaufen	K	Einkaufen
Kontakt ✐	L	Kontakt

Reetdachhäuser gibt es in Europa, Asien und Afrika. Am Bodensee hat es schon vor 4000 Jahren Reetdächer gegeben. In Norddeutschland – besonders an der Nordsee – gibt es noch viele Reetdachhäuser.

das Schilf / das Reet

Wohnen in der Stadt – ein altes Haus

11 **Read the e-mail and fill in the verbs.**

gekauft • fehlt • freuen • ist • macht • repariere • sind • werde • wissen • wohnen

---

○○○   Neue E-Mail   ◯

Senden   Chat   Anhang   Adressen   Schriften   Farben   Als Entwurf sichern

An: Thomas.Schneider580@gmx

Cc:

Betreff: Baby

Lieber Thomas,

wie geht es dir? Bei uns gibt es Neuigkeiten: Ich _____ in diesem Jahr noch

Papa! Ein Junge? Ein Mädchen? Wir _____ es noch nicht. Das

_____ auch egal. Hauptsache, unser Kind ist gesund. Wir _____

uns sehr! Und Birgit und ich haben uns ein Haus in der Stadt _____: ein Fach-

werkhaus, wunderschön, fast zweihundert Jahre alt und direkt in der Altstadt!

Seit zwei Wochen _____ wir jetzt in unserem Haus. Die Zimmer

_____ klein und die Haustür ist

auch nicht hoch, aber unsere Möbel sehen super aus

hier. Das Haus macht viel Arbeit. Aber die Arbeit

_____ mir Spaß. (Du weißt ja:

Ich baue und _____ gern.)

Das Kinderzimmer ist schon fertig und im Gäste-

zimmer _____ nur noch der

Teppich. Du musst uns also bald besuchen kommen!

Liebe Grüße

Gerd

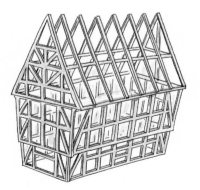

 Ein **Fachwerkhaus** hat eine Konstruktion aus Holz. Zwischen den Balken sind wieder Holz und Lehm, manchmal auch Ziegel. In Deutschland gibt es heute noch über eine Million Fachwerkhäuser. Die letzten traditionellen Fachwerkhäuser hat man in Deutschland etwa um 1900 gebaut.

12 **Which kind of houses predominate in your city or region?**

· A · CH

Auf dem Land und in der Stadt

So wohnen Deutsche, Österreicher und Schweizer:

	D	A	CH
Stadt	72 %	67 %	73 %
Land	28 %	33 %	27 %

13 **Read the two dialogs and complete.**

im Garten • In der Stadt • in einem Haus • ins Theater •
mit dem Auto • mit den Nachbarn • zum Supermarkt

A

● Wohnst du gerne auf dem Land?

○ Ja, sehr gerne. Ich wohne mit meiner Familie _in einem Haus_ .

Wir haben viel Platz. Unsere Kinder können draußen _____

_____ spielen. Und sie können auch laut sein.

_____ können sie das nicht.
● Und was sagen eure Nachbarn?
○ Die haben auch Kinder. Das ist kein Problem.
Die Kinder spielen oft zusammen. Und wir machen auch

viel _____ zusammen.
● Wo arbeitest du?
○ In der Stadt. Ich fahre jeden Tag etwa 20 Minuten _____ zur Arbeit.
● Und wo kaufst du ein?
○ Im nächsten Ort. Wir fahren etwa zehn Minuten _____ .
● Fehlt dir etwas auf dem Land?
○ Na ja, manchmal möchte ich mit meiner Frau ins Kino gehen oder _____ .
Das Kino und das Theater sind aber in der Stadt. Und oft fahren wir dann nicht. Aber man kann
nicht alles haben.

auf dem Land • im Haus • in der Nähe • in der Natur •
in der Stadt • mit dem Bus • in ein Konzert

B

● Wohnst du gerne in der Stadt?

○ Ja, ich wohne gerne _____in der Stadt_____ . Ich brauche

kein Auto. Ich fahre _____ oder mit der
Straßenbahn zur Arbeit. Der Supermarkt ist

_____ . Restaurants, Cafés, Kaufhäuser,
Ärzte und Apotheken auch. Das ist alles sehr praktisch.

Oft gehe ich ins Museum oder _____ .

Das kann man _____ nicht.
● Fehlt dir etwas in der Stadt?
○ Ja, manchmal fühle ich mich allein. Ich habe nette Kollegen und Freunde, aber meine Nachbarn

_____ kenne ich nicht. Und manchmal will ich _____ sein.
Ich mag die Ruhe. In der Stadt ist es nie ruhig. Aber man kann nicht alles haben.

30

Zur Miete oder in den eigenen vier Wänden?

So wohnen Deutsche, Österreicher und Schweizer:

	D	A	CH
Miete	57 %	44 %	64 %
Eigentum	43 %	56 %	36 %

14 **Christine and Kai talk about their current living conditions and their future plans. Read the dialog and match the pictures (A-D) with the texts (1-4).**

1 ☐ Christine: Kai, heute ist eine Anzeige in der Zeitung, ein Reihenhaus. Am Stadtrand. Ich habe angerufen. Wir können uns das Haus morgen ansehen.

Kai: Ein Reihenhaus? Aber ich möchte nicht in einem Reihenhaus wohnen. Wand an Wand mit den Nachbarn. Das ist ja wie hier in der Mietwohnung.

Christine: Vielleicht, aber das Haus hat auch einen Garten und eine Garage.

2 ☐ Kai: Egal. Ich will gerne selber ein Haus bauen.

Christine: Dann dauert es aber noch ein paar Jahre. Das können wir nicht bezahlen. Und ich will nicht mehr zur Miete wohnen.

Kai: Ich ja auch nicht. Aber ich will auch kein Reihenhaus kaufen.

3 ☐ Christine: Und ein Haus auf dem Land kaufen? Das ist nicht so teuer. Ich möchte so gern in einem eigenen Haus wohnen.

Kai: Ich auch. Aber wie kommen wir dann zur Arbeit? Dann brauchen wir ein zweites Auto. Das ist auch teuer.

4 ☐ Christine: Ich mag ja unsere Altbauwohnung hier. Aber die Nebenkosten sind so hoch. Wir bezahlen so viel Geld für die Heizung. Und oft ist es laut.

Kai: Wir können uns ja zuerst eine andere Mietwohnung suchen. Eine mit wenig Nebenkosten. Und dann ...

Reihenhaus 110 qm², Garten, Keller, Garage, 5 Min. zur Straßenbahn

15 Read the dialogs on pages 30 and 31 again and prepare statements for the following questions: How would you not want to live? How would you like to live?

> *Ich will nicht zur Miete …*

> *Ich will nicht auf dem Land wohnen. Ich möchte in der Stadt wohnen.*

D-A-CH-Fenster

D	A	CH
der Stadtteil / das Stadtviertel das Fachwerkhaus	das Stadtviertel das Fachwerkhaus	das Quartier das Riegelhaus
das Erdgeschoss der Speicher die Einzimmerwohnung / das Einzimmerapartment Die Dachterrassenwohnung die Treppe	das Parterre der Dachboden die Garconnière / die Einzimmerwohnung das Penthaus / Penthouse die Stiege	das Parterre der Estrich das Appartement / die Studiowohnung die Attikawohnung die Treppe
der (offene) Kamin der Teppichboden der Schrank	der (offene) Kamin der Spannteppich der Kasten	das Cheminée der Spannteppich der Kasten
umziehen frisch gestrichen	(über-)siedeln frisch gestrichen	zügeln neu gemalt
der Hausmeister	der Hausmeister	der Abwart

Quiz

1 Österreicher machen sehr gern Urlaub in

- ☐ A Deutschland, Frankreich und Italien.
- ☐ B den USA, Großbritannien und Kroatien.
- ☐ C der Schweiz, in den Niederlanden und Kroatien.
- ☐ D Italien, Kroatien und Griechenland.

2 Aus welchem Land kommen sehr viele Touristen in die Schweiz?

- ☐ A Aus Japan.
- ☐ B Aus Deutschland.
- ☐ C Aus Kroatien.
- ☐ D Aus den Niederlanden.

3 Wie oft übernachten Schweizer im Jahr etwa in Österreich?

- ☐ A Über eine Million Mal.
- ☐ B Über zwei Millionen Mal.
- ☐ C Über drei Millionen Mal.
- ☐ D Über vier Millionen Mal.

4 Wie nennen Schweizer einen Stadtteil?

- ☐ A Parterre.
- ☐ B Estrich.
- ☐ C Cheminée.
- ☐ D Quartier.

5 Was ist ein Fachwerkhaus?

- ☐ A Ein Haus mit einer Holzkonstruktion.
- ☐ B Ein Haus in den Alpen.
- ☐ C Ein Haus mit vielen Stockwerken.
- ☐ D Ein Haus auf dem Land.

6 Auf der Donau kann man

- ☐ A gut surfen.
- ☐ B Schiffsreisen machen.
- ☐ C nach Hamburg fahren.
- ☐ D von Wien nach Berlin fahren.

7 Was sagen Österreicher zu einer Treppe?

- ☐ A Aufgang.
- ☐ B Steige.
- ☐ C Trepperl.
- ☐ D Stiege.

8 Die Insel Sylt liegt

- ☐ A in der Ostsee.
- ☐ B im Schwarzen Meer.
- ☐ C in der Nordsee.
- ☐ D im Bodensee.

9 Von wo nach wo fließt der Rhein?

- ☐ A Von Deutschland bis ins Schwarze Meer.
- ☐ B Von der Schweiz bis in die Ostsee.
- ☐ C Von Österreich bis in die Nordsee.
- ☐ D Von der Schweiz bis in die Nordsee.

10 Wo kann man surfen, segeln und Rad fahren?

- ☐ A Am Neusiedler See.
- ☐ B An der Donau.
- ☐ C Im Internet.
- ☐ D In Wien.

11 Wo gibt es noch viele Reetdachhäuser?

- ☐ A In Norddeutschland.
- ☐ B In Südeuropa.
- ☐ C Nur in Süddeutschland.
- ☐ D In Österreich.

12 Sehr viele Schweizer

- ☐ A leben auf dem Land.
- ☐ B wohnen in eigenen Häusern.
- ☐ C wohnen in Fachwerkhäusern.
- ☐ D leben in der Stadt.

Ein häufiger Frauenberuf in der Schweiz: Büroassistentin

1 Read and complete the text about Monika Wälti.

produzieren • telefoniere • arbeite • ist • antworte • schreibe

Ich arbeite als Büroassistentin bei einem bekannten Uhrenhersteller. Wir _____

Armbanduhren. Ich _____ viel am Computer, _____ Rechnungen und

_____ auf E-Mails und Briefe unserer Kunden. Ich _____ auch viel auf Englisch,

Italienisch und Französisch. Der gute Kontakt mit unseren Kunden _____ sehr wichtig.

Die Arbeit macht mir Spaß, denn wir haben wunderbare Produkte.

2 Read the texts about the clock and watch industry and about the two companies Rolex and Swatch.

Die Uhrenindustrie in der Schweiz ▶ In der Schweiz gibt es etwa 650 Uhrenproduzenten. Sie exportieren rund 95 % ihrer Uhren. Das sind über 20 Millionen Uhren im Jahr. Die meisten Firmen sind klein und haben unter 100 Angestellte. Aber insgesamt arbeiten etwa 40.000 Menschen in diesem Wirtschaftssektor. Die meisten Uhren aus der Schweiz sind heute elektronisch. Nur 10 % der exportierten Uhren sind mechanisch – meistens Luxusuhren. Aber die Luxusuhren erwirtschaften etwa die Hälfte des Exportgewinns. Die Schweiz verdankt ihren Erfolg der hohen Qualität und der großen Vielfalt ihrer Produkte. Zwei besonders bekannte Unternehmen sind die Firmen Rolex und Swatch.

Rolex, Genf ▶ Armbanduhren waren bis 1920 selten. Die Menschen haben gedacht: „Eine Armbanduhr ist zu klein. Sie kann nicht präzise funktionieren." Das Gegenteil hat der Firmengründer von Rolex, Hans Wilsdorf aus Kulmbach, gezeigt. 1905 hat er in London eine Firma gegründet und Schweizer Uhren nach Großbritannien importiert. Der Markenname Rolex ist seit 1908 offiziell registriert. Schnell hat Wilsdorf Zertifikate für die Präzision seiner Uhren bekommen. 1915 ist Wilsdorf mit der Firma in die Schweiz gegangen. 1926 hat Rolex die erste wasserdichte* Uhr der Welt vorgestellt, die „Oyster". Der Einsatz von Rolex-Uhren unter Extrembedingungen (zum Beispiel beim Tiefseetauchen oder bei Expeditionen zum Mount Everest) hat immer wieder Dauerhaftigkeit, Präzision und Funktionssicherheit der Luxusuhren gezeigt. Rolex ist heute Marktführer im Bereich Luxusuhren.

wasserdicht = In die Uhr kann kein Wasser kommen.

Swatch, Biel ▶ Die Schweizer Uhrenindustrie war Mitte der 1970er-Jahre in einer schweren Krise: Günstige Quartz-Uhren aus asiatischen Ländern waren eine starke Konkurrenz für die mechanischen Luxusuhren aus der Schweiz. Der Wirtschaftsberater Nicolas G. Hayek hatte die Lösung für die Krise: Swatch – eine Firma und eine leichte Plastikuhr. Roboter bauen die Swatches aus nur 51 Teilen zusammen. Traditionelle Uhren hat man aus rund 90 Einzelteilen zusammengesetzt und Luxusuhren bestehen oft aus über 300 Teilen. 1983 hat Swatch die ersten Armbanduhren verkauft. Die Swatch war schnell erfolgreich – zuerst in der Schweiz und dann in den USA. Viele unterschiedliche Modelle hat es seitdem gegeben. Swatch hat bis zum 20. Geburtstag 300 Millionen Uhren verkauft. Heute kontrolliert die Swatch Group in Biel (Kanton Bern) finanziell etwa ein Drittel des Weltmarktes für Uhren.

3 **Look at the information about the two companies and then prepare an introduction for the two companies. Write in complete sentences.**

Rolex	Swatch
– in Genf	– in Biel
– Luxusuhren	– Quartz-Uhren
– präzise und funktionssicher	– modisch, leicht und preiswert
– Gründer: Hans Wilsdorf aus Kulmbach	– Gründer: Nicolas G. Hayek
– seit 1908	– seit 1983
– …	– …

Die Firma Rolex in Genf produziert …

4 **Make a list of the German, Austrian, and Swiss companies you know. Search on the internet for more information about these companies, e.g.: Where is the company located? What does the company produce? How many employees does the company have? Then prepare an introduction to the company.**

Ein häufiger Männerberuf in Deutschland: Berufskraftfahrer

5 **Complete the questions in the dialog between Elke and Sandra.**

findest du ihn • Wann hat • Wie heißt • macht er • Warum • Hast du • Wie lange

Elke: _____ dein Freund?

Sandra: Bernd. Bernd Maier.

Elke: Und was _____?

Sandra: Er ist Berufskraftfahrer und fährt LKW für eine Spedition.

Elke: _____ ein Foto?

Sandra: Ja, hier. Das ist Bernd.

Wie _____?

Elke: Er sieht sympathisch aus.

_____ kennst du ihn?

Sandra: Seit drei Monaten. Aber wir sehen uns nicht so oft. Er ist viel unterwegs. Oft fährt er von Burgkunstadt nach Salzburg und zurück.

Elke: _____ er wieder frei?

Sandra: Am Wochenende. Ich möchte gerne mit ihm zusammen nach Bayreuth oder Ingolstadt fahren, aber er hat keine Lust.

Elke: _____ nicht?

Sandra: Er will am Wochenende nicht wieder auf die Autobahn. Er fährt ja fast täglich an Bayreuth und Ingolstadt vorbei.

Elke: Ihr könnt doch mit dem Zug fahren.

Sandra: Gute Idee.

Bayreuth, Festspielhaus

Ingolstadt

6 Look at a map in the internet and find cities that are on Bernd Maier's route (Burgkunstadt – Salzburg).

Hermes

Die „Hermes Logistik Gruppe Deutschland GmbH" ist eine große Spedition. Sie transportiert Pakete, aber auch z. B. Möbel und Elektrogeräte. Hermes hat etwa 2500 LKWs und bringt im Jahr über 200 Millionen Sendungen von einem Ort zum anderen. In 14.000 „PaketShops" kann man seine Pakete abgeben.

Die Autobahnen

Eine Autobahn ist eine Straße für den schnellen Verkehr und für den Gütertransport*. Sie hat mindestens zwei Fahrstreifen pro Richtung. Die Fahrbahnen sind getrennt. Halten und Parken sind verboten, aber an vielen Autobahnen gibt es Raststätten. Da kann man Pause machen, essen, sich ausruhen und oft gibt es auch Spielmöglichkeiten für Kinder.

Gütertransport, der = (hier) Transport von (schweren) Waren in Lastwagen

7 Complete with the country names.

A1	1	555
_____	_____	_____
Hier darf man maximal 130 km/h* schnell fahren. Die erste Autobahnstrecke war in der Nähe von Salzburg.	Man darf maximal 120 km/h schnell fahren. Die erste Autobahnstrecke war zwischen Genf und Lausanne.	Hier darf man mehr als 130 km/h schnell fahren. Die erste Autobahnstrecke war zwischen Köln und Bonn.

* km/h = Kilometer pro Stunde

Arbeit und Berufe in den deutschsprachigen Ländern

8 **Read the text, look at the pictures, and match with the job titles.**

Maurer • Krankenschwester • Landwirt • Kellner • Fabrikarbeiterin • Verkäuferin • Bankangestellter

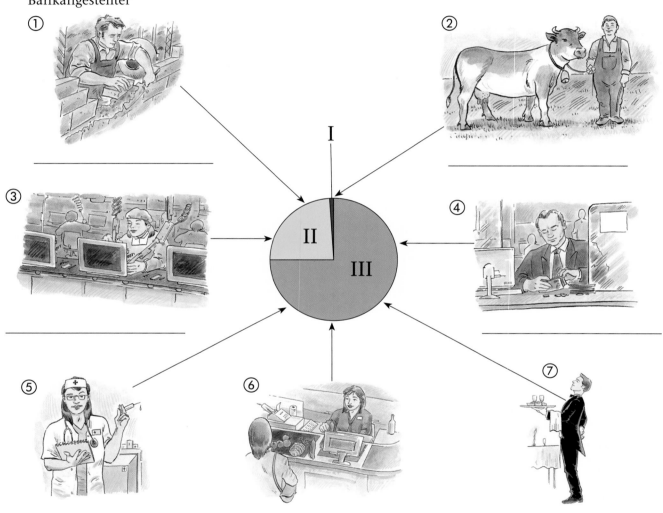

Sehr viele Menschen in Deutschland, Österreich und der Schweiz arbeiten im Handel, Verkehr, Tourismus, bei Versicherungen und Banken, für öffentliche Arbeitgeber wie den Staat oder im Gesundheitsbereich (III). Sie arbeiten im Bereich „Dienstleistungen". Ungefähr ein Viertel arbeitet als Handwerker oder in der Industrie (II). Und nur wenige Menschen arbeiten in der Landwirtschaft (I). In der Wirtschaft nennt man Länder mit so einer Arbeitsverteilung „Dienstleistungsgesellschaft". Häufige Berufe sind zum Beispiel in Deutschland für Männer: Berufskraftfahrer, kaufmännischer Angestellter oder Kraftfahrzeugmechaniker. Für Frauen: kaufmännische Angestellte, Krankenschwester und Verkäuferin.

9 **Which jobs or professions are typical for your family / your city / your region?**

Berufsausbildung in Deutschland

10 Read the text and complete the dialog.

Berufsausbildung in Deutschland

Möchte man in Deutschland einen Beruf im Handel, in der Industrie oder im Handwerk erlernen, muss man nach dem Schulabschluss in der Regel eine 3-jährige Berufsausbildung machen. Im praktischen Teil der Berufsausbildung lernt man in einem Ausbildungsbetrieb. Auszubildende (Azubis) müssen aber auch auf eine Berufsschule gehen. Das nennt man „duales System". Die Berufsschule vermittelt Theorie zum Beruf und Allgemeinbildung. Unterricht gibt es meistens an ein oder zwei Tagen in der Woche. An den anderen Tagen sind die Auszubildenden im Betrieb.
Es gibt Berufsschulen für die kaufmännische, handwerkliche, haus- oder landwirtschaftliche Berufsausbildung. Industrie- und Handelsbetriebe bilden in Deutschland etwa 48 Prozent der Auszubildenden aus, die Handwerksbetriebe 38 Prozent und die übrigen Bereiche (zum Beispiel die Landwirtschaft und Hauswirtschaft) zusammen etwa 15 Prozent.

Ausbildungsplatz • Berufsschule • Handwerk • Ausbilder • Kaufhaus • Ausbildung • Azubi

Martina: Hallo Daniel.

Daniel: Hallo Martina. Wir haben uns ja lange nicht gesehen. Was machst du jetzt?

Martina: Ich mache eine _____ zur Einzelhandelskauffrau, in einem _____.

Daniel: Gefällt es dir da?

Martina: Ja, mein _____ ist nett und die Arbeit ist auch o. k. Aber ich bin als _____ allein. Zum Glück gehe ich zweimal in der Woche zur _____. Da sind auch ein paar Freundinnen von mir. Und was machst du?

Daniel: Ich suche noch einen _____ als Maurer. Ich will ins _____.

11 Choose a job or profession and search the internet for more information. Which diploma is required for the job or profession? How long does the job training last?

Deutsche Auswanderer und Arbeitsmigranten

12 **Read the text, mark what is correct, and subsequently compare your results with those of your partner.**

Viele Deutsche können sich das Auswandern vorstellen. Es gibt unterschiedliche Gründe für Migration. Der Grund für die meisten Deutschen ist aber (A) ✶ **die Arbeit** ✶ **die Familie** ✶ **die Politik**. Sie wollen im Ausland Karriere machen, mehr Geld verdienen, einen sicheren Arbeitsplatz finden.

Von den Arbeitsmigranten sind besonders deutsche Fachkräfte und Akademiker im Ausland beliebt, zum Beispiel Ärzte, Ingenieure, Handwerker und (B) ✶ **Hilfsarbeiter** ✶ **Computerspezialisten** ✶ **Kassiererinnen**. Auch Arbeitskräfte aus dem Gesundheitsbereich, aus dem Gastronomie- und Hotelgewerbe haben im Ausland oft Chancen. Deutsche Arbeitskräfte gelten im Ausland oft als (C) ✶ **zuverlässig und ordentlich** ✶ **gemütlich und emotional** ✶ **körperlich sehr stark**. Ein wichtiger Grund für die Beliebtheit deutscher Arbeitskräfte ist die Qualität in der deutschen Berufsausbildung.

Die meisten Auswanderer (etwa 20.000) sind 2007 (D) ✶ **in die Niederlande** ✶ **nach Österreich** ✶ **in die Schweiz** gegangen. Etwa 14.000 sind (E) ✶ **nach Dänemark** ✶ **in die USA** ✶ **nach Spanien** ausgewandert, nach Österreich (F) ✶ **21.000** ✶ **11.000** ✶ **6.000** und etwa 10.000 (G) ✶ **nach Tschechien** ✶ **nach Polen** ✶ **nach Rumänien**. Viele Deutsche kommen aber auch jedes Jahr aus dem Ausland wieder nach Deutschland zurück.

13 **Read Anita Pohl's diary and answer the questions.**

28.01. – Es hat heute wieder geschneit. Die Landschaft sieht wunderbar aus. Ich möchte auch gern hier im Urlaub sein, Ski fahren! Aber die Berge und den Schnee sehe ich immer nur aus dem Restaurantfenster. Jetzt arbeite ich schon seit zwei Wochen hier und habe kaum Zeit für mich gehabt. Ich möchte einfach mal losgehen und die Landschaft genießen. Heute habe ich etwas Zeit, aber ich bin sehr müde. Gestern waren extrem viele deutsche Gäste da. Es dauert immer eine Weile, bis die Deutschen merken, dass ich gar keine Österreicherin bin. Und dann wollen sie wissen, woher ich komme und wie es mir hier gefällt. Ich kann dann natürlich nichts Negatives sagen – die Arbeit als Kellnerin ist in deutschen Tourismus-Zentren bestimmt auch so schwer. Aber da habe ich ja keine Arbeit bekommen. Jetzt habe ich Arbeit. Für diese Saison ... Mal sehen, wie es weitergeht.

A Wo arbeitet Anita Pohl?   B Was gefällt ihr?   C Hat sie einen sicheren Arbeitsplatz?

14 **Do you know people (family, friends, or acquaintances) who have worked or are working in a foreign country? What do they say about their experiences?**

Internationale Sommeruniversität in Marburg

15 Read Brian Miller's e-mail and answer the questions.

Neue E–Mail

Senden Chat Anhang Adressen Schriften Farben Als Entwurf sichern

Von: Brian.Miller@mail.com

An: larskeller@gmx.de

Hallo Lars,

ich bin jetzt eine Woche hier in Marburg. Kennst du Marburg? Die Stadt gefällt mir. In der Altstadt gibt es schöne Fachwerkhäuser und auf dem Berg steht ein Schloss. Ich mag den Fluss und die alten Universitätsgebäude. Vielleicht mache ich im nächsten Jahr ein oder zwei Auslandssemester hier.

Die Sommeruniversität macht Spaß. Ich bin insgesamt vier Wochen an der Philipps-Universität und lerne viel über die deutsche Kultur, über Politik und Wirtschaft. Ich bin auch in einem Deutschkurs. Wir haben nette Lehrer und verstehen uns gut. Es sind ein paar Amerikaner dabei und Studenten aus Frankreich, Polen, Tschechien, Korea und Japan. Wir lachen viel und feiern auch zusammen. Komm doch in der nächsten Woche nach Marburg. Dann kannst du die anderen kennenlernen. Wir fahren am Mittwoch nach Frankfurt, aber am Donnerstag haben wir am Nachmittag keinen Unterricht. Wenn du nicht kannst, musst du mich wieder in Amerika besuchen ;-)

Viele Grüße

Brian

A Was macht Brian in Marburg?
B Was gibt es in Marburg?
C Wie findet Brian die Stadt?
D Woher kommt Brian?

Die Philipps-Universität Marburg

– 1527 gegründet
– mittelgroße deutsche Universität
– über 19.000 Studierende
– etwa 4.000 Mitarbeiterinnen und Mitarbeiter
– Fachbereiche: z. B.: Medizin, Germanistik, Rechtswissenschaften, Wirtschaftswissenschaften

Sonne und Regen in Berlin, Wien und Bern. Ein Wetterspiel

16 Read the rules of the game and then play the game in a group of three.

Spielregeln

1 Jeder von Ihnen wählt eine Stadt aus (Berlin, Wien oder Bern).
2 Sie haben eine Sonnenbrille, einen Regenschirm, ein T-Shirt und eine Winterjacke dabei. Machen Sie sich eine Liste ins Heft.
3 A beginnt und nennt einen Monat. *(A: „Juni")*
4 Welche Sache(n) brauchen Sie? Machen Sie Striche.

Wien

Sonnenbrille	Regenschirm	T-Shirt	Winterjacke
I	I	I	

5 B nennt einen Monat. …
6 Das Spiel ist zu Ende, wenn jeder 2 Monate genannt hat. Welche Sache hat die meisten Striche? Vergleichen Sie.

 ab 6 Sonnenstunden pro Tag

 ab Temperatur ≥ 20°C

 ab 16 Regentagen pro Monat

ab Temperatur ≤ 4°C

Berlin	01	02	03	04	05	06	07	08	09	10	11	12
Sonnenstunden/Tag*	2	3	4	5	7	8	7	7	6	4	2	1
Regentage*	17	15	12	13	12	12	14	14	12	14	16	16
Höchsttemperatur* (°C)	3	4	8	14	19	22	24	24	19	14	7	3
Tiefsttemperatur* (°C)	–1	–1	2	5	10	13	15	14	11	7	3	0

* durchschnittlich

Wien	01	02	03	04	05	06	07	08	09	10	11	12
Sonnenstunden/Tag*	2	3	4	6	8	8	9	8	7	4	2	1
Regentage*	21	17	19	19	17	19	19	15	15	15	20	22
Höchsttemperatur* (°C)	1	3	8	15	19	23	25	24	20	14	7	3
Tiefsttemperatur* (°C)	–4	–3	1	6	10	14	15	15	11	7	3	–1

* durchschnittlich

Bern	01	02	03	04	05	06	07	08	09	10	11	12
Sonnenstunden/Tag*	2	3	5	6	7	7	8	7	6	4	2	2
Regentage*	10	9	8	10	11	13	11	12	10	9	8	9
Höchsttemperatur* (°C)	2	4	9	14	18	21	23	22	19	13	7	3
Tiefsttemperatur* (°C)	–4	–3	0	4	8	11	13	13	10	5	1	–2

* durchschnittlich

17 Name the months when you need sun glasses, an umbrella, a T-shirt, or a winter jacket in your city or region.

18 Read the sentences and enter the corresponding words in the cross word puzzle. The answer to the puzzle is read from top to bottom.

1. Zeigt die Zeit am Arm (Plural).
2. Wo man arbeitet.
3. In ein anderes Land ziehen.
4. Kaufen und verkaufen, ein Arbeitsbereich.
5. Den Beruf hat Monika Wälti.
6. Hier kann man an der Autobahn Pause machen (Plural).
7. Die macht man für einen Beruf.
8. Bewegung von Fahrzeugen auf der Straße.
9. Hier kann man studieren.
10. Sie gibt Patienten im Krankenhaus Medikamente (Plural).
11. Teil von einem Studienjahr.
12. Das braucht man für viele Berufsausbildungen.
13. Straße für schnellen Verkehr (Plural).
14. 24 Stunden mit Wasser von oben (Plural).

Lösungen

A

1 oben (Hamburg/Bremen): „Moin, Moin"; Deutschland, Österreich, Schweiz: „Guten Tag", Süddeutschland/Österreich: „Grüß Gott", Österreich: „Servus" (informelle Begrüßung, besonders unter Freunden und Bekannten), Schweiz: „Gruezi" (Sie) und „Salü" (wenn man sich duzt).

3 Livia: Nein, ich bin aus Milano, Mailand. Ich bin Italienerin. Aber ich wohne in Bern ...
Sie: Können Sie mir bitte helfen? Wo ist der Zytgloggeturm?
Livia: ... Der Zytgloggeturm ist in der Kramgasse.
Sie: Und das Rathaus?
Livia: Das Rathaus ist hier. Gehen Sie auch zum Münster. Das ist sehr schön. Machen Sie Urlaub in Bern?
Sie: Ja, ich mache Urlaub in Bern.
Livia: Woher kommen Sie?

Sie: Ich komme aus _____. Ich heiße _____. Und Sie?
Livia: Ich bin Livia. Livia Esposito. Sprechen Sie Italienisch?

Sie: Ich spreche _____. Und Sie?
Livia: Ich spreche Italienisch, Deutsch und ein bisschen Französisch.

5 1D, 2C, 3A, 4B

6 1. Max kommt aus Wien.
2. Bettina wohnt in Frankfurt.
3. In Wien gibt es z. B.: das Schloss Schönbrunn, die Wiener Hofburg mit dem Sisi-Museum, das Naturhistorische Museum und das Burgtheater.
4. Der Prater ist ein großer Park.

8 1. Alianz-Arena; 2 Schloss Nymphenburg; 3 Olympiapark; 4 Hofbräuhaus; 5 Frauenkirche; Viktualienmarkt

9 1 St. Pauli-Elbtunnel; 2 Hafen; 3 Speicherstadt; 4 Hafen City; 5 Deichstraße. Zur St. Michaelis-Kirche steht nichts im Text.

11 von links nach rechts: der Fürstenzug, der Zwinger, Schiff auf der Elbe und Frauenkirche, die Hofkirche

12 Heute geht Conni in den Zwinger. – Heute Abend geht sie in die Semperoper. – Morgen geht sie zur Hofkirche. – Morgen fährt sie mit einem Schiff (auf der Elbe). – Am Montag ist sie (wieder) zu Hause. – Am Dienstag sieht sie Anne (im Büro).

14 oben: Euro-Scheine: Deutschland, Österreich, darunter rechts: Münzen aus Österreich, darunter links: Münzen aus Deutschland, darunter rechts: Franken und Rappen aus der Schweiz

15 **A** Die Goldbären kommen aus Deutschland. **B** Die Toblerone kommt aus der Schweiz. **C** Die Mozartkugel kommt aus Österreich.
1: 1890 – die erste Mozartkugel, 2: 1908 – die erste Toblerone, 3: 1922 – die ersten Goldbären

16 1 der kleine Schwarze = E; 2 der Einspänner = A; 3 die Melange = C; 4 Kaffee verkehrt = D; 5 der Braune = B

Quiz
1 B; 2 D; 3 D; 4 C; 5 B; 6 C; 7 A; 8 B; 9 D; 10 C; 11 C

B

2 von oben im Uhrzeigersinn: Hamburg, Berlin, Dresden, Nürnberg, Wien, Linz, Zürich, München, Frankfurt, Kassel

3 herzhaft: Schwein: Nürnberger Bratwürstchen; Kalb und Schwein: Münchner Weißwurst; Kalb: Wiener Schnitzel, Zürcher Geschnetzeltes; Rind: Hamburger; süß: Berliner, Frankfurter Kranz, Dresdner Christstollen

6 1 kochen; 2 die Schale, schälen; 3 die Reibe, reiben; 4 die Bratpfanne, die Pfanne, braten; 5 wenden

7 Zutaten für 2 Personen:
2 Eier, 150 Gramm Mehl, 300 Milliliter Milch, 100 Gramm Puderzucker, eine Messerspitze Salz, etwas Zitronenschale

8 **A** – Die Palatschinken sind für den Kaiser, (**B** – Der Kaiserschmarrn ist für das Personal.)

9 ● Ich gehe am Samstag zum <u>Naschmarkt</u>. Kommst du mit?
○ Gerne. Dann kaufe ich <u>Obst</u> und <u>Brot</u>. Um wie viel Uhr gehst du zum Markt?
● <u>Um acht.</u>
○ Um acht? Warum so früh?
● Ich gehe erst zum <u>Flohmarkt</u> und dann zum Naschmarkt.
○ Flohmarkt? Nein, dazu habe ich keine Lust.
● Schade. Ich mag <u>Antiquitäten</u>. Kommst du am Mittag mit in ein <u>Restaurant</u>?
○ Ja, gern. Um wie viel <u>Uhr</u>?
● <u>Um</u> zwölf.
○ Dann kaufe ich am Nachmittag ein. Bis wann hat der <u>Markt</u> auf?
● <u>Bis</u> 17 Uhr.

10 A Im Frühling, Sommer und Herbst: <u>Um 5 Uhr.</u> Im Winter: <u>Um 7 Uhr.</u>
B Im Frühling, Sommer und Herbst: <u>4,5 Stunden.</u> Im Winter: <u>2,5 Stunden.</u>
C <u>Tiere, Lebensmittel, Blumen, Spielsachen</u>
D <u>Jazz-, Country- oder Western-Musik.</u>

12 A = Frühling (März, April, Mai), Deutschland (am Ammersee bei München)
B = Sommer (Juni, Juli, August), Deutschland, Österreich, Schweiz (Bodensee)
C = Herbst (September, Oktober, November), Deutschland (Schwarzwald)
D = Winter (Dezember, Januar, Februar), Schweiz (Kanton Graubünden)

13 **Städte-Rätsel**

Köln	Kölner Kaviar	Kölnerin	Leipziger Buchmesse	Ost-deutschland	Media City Leipzig
West-deutschland	Kölner Karneval	Kölner Dom	Leipzigerin	Leipziger Allerlei	Leipzig
Zurich Film Festival	Fraumünster-kirche	Schweiz	München	Münchnerin	Münchner Weißwurst
Zürcher Geschnetzeltes	Züricherin	Zürich	Süd-deutschland	Frauenkirche	Oktoberfest
Hamburgerin	Hamburg	Hamburger	Schloss Schönbrunn	Wiener Naschmarkt	Österreich
Elbtunnel	Nord-deutschland	Hamburger Fischmarkt	Wiener Schnitzel	Wien	Wienerin

C

2

Bettina	Peter	Bettina & Peter	Matthias	Carolin
Berlin, Paris, Amsterdam	Donau	Sylt	Vierwaldstättersee	Neusiedler See

5 Die passende Überschrift ist C.

6 Nach Deutschland kommen viele Touristen aus den Niederlanden, aus <u>Amerika</u>/den <u>USA</u> und aus <u>England/Großbritannien</u>. Nach Österreich kommen viele Touristen aus <u>Deutschland</u>, den <u>Niederlanden</u> und <u>Italien</u>. In die Schweiz kommen viele Touristen aus <u>Deutschland</u>, <u>Amerika/USA</u> und <u>England/Großbritannien</u>.

7 **A:** Österreich, **B:** Deutschland, **C:** Schweiz

8

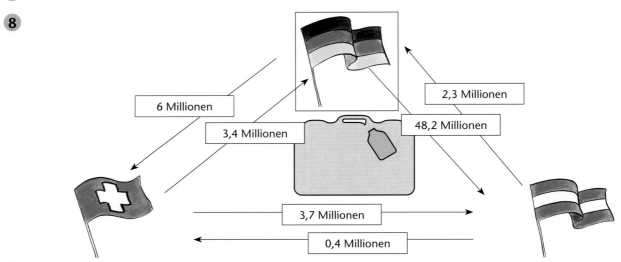

10 1 L; 2 G; 3 H; 4 C; 5 B; Ja; 6 D, Nein

11 Ich <u>werde</u> in diesem Jahr noch Papa! … Wir <u>wissen</u> es noch nicht. Das <u>ist</u> auch egal. … Wir <u>freuen</u> uns sehr! Und Birgit und ich haben uns ein Haus in der Stadt <u>gekauft</u>. … Seit zwei Wochen <u>wohnen</u> wir jetzt in unserem Haus. Die Zimmer <u>sind</u> klein … Aber die Arbeit <u>macht</u> mir Spaß. (Du weißt ja: Ich baue und <u>repariere</u> gern,) … und im Gästezimmer <u>fehlt</u> nur noch der Teppich.

13 **A**
Unsere Kinder können draußen <u>im Garten</u> spielen. … <u>In der Stadt</u> können sie das nicht. … Und wir machen auch viel <u>mit den Nachbarn</u> zusammen. … Ich fahre jeden Tag etwa 20 Minuten <u>mit dem Auto</u> zur Arbeit. … Wir fahren etwa zehn Minuten <u>zum Supermarkt</u>. Naja, manchmal möchte ich mit meiner Frau ins Kino gehen oder <u>ins Theater</u>. …

13 **B**
Ich fahre <u>mit dem Bus</u> oder mit der Straßenbahn zur Arbeit. Der Supermarkt ist <u>in der Nähe</u>. … Oft gehe ich ins Museum oder <u>in ein Konzert</u>. Das kann man <u>auf dem Land</u> nicht. … Ich habe nette Kollegen und Freunde, aber meine Nachbarn <u>im Haus</u> kenne ich nicht. Und manchmal will ich <u>in der Natur</u> sein.

14 1 D, 2 B, 3 A, 4 C

Quiz
1 D, 2 B, 3 C, 4 D, 5 A, 6 B, 7 D, 8 C, 9 D, 10 A, 11 A, 12 D

D

1 Wir <u>produzieren</u> Armbanduhren. Ich <u>arbeite</u> viel am Computer, <u>schreibe</u> Rechnungen und <u>antworte</u> auf E-Mails … Ich <u>telefoniere</u> auch viel auf Englisch, … Der gute Kontakt mit unseren Kunden <u>ist</u> sehr wichtig.

5 Elke: <u>Wie heißt</u> dein Freund? Sandra: Bernd. … Elke: Und was <u>macht er</u>? Sandra: Er ist … Elke: <u>Hast du</u> ein Foto? Sandra: Ja, … Wie <u>findest du ihn</u>? Elke: Er sieht … <u>Wie lange</u> kennst du ihn? Sandra: Seit drei Monaten. … Elke: <u>Wann hat</u> er wieder frei? Sandra: Am Wochenende … aber er hat keine Lust. Elke: <u>Warum</u> nicht? …

7 **A1** = Österreich; **1** = Schweiz; **555** = Deutschland

8 1 = Maurer (= II, Handwerk)
2 = Landwirt (= I (Landwirtschaft)
3 = Fabrikarbeiterin (= II Industrie)
4 = Bankangestellter, 5 = Krankenschwester, 6 = Verkäuferin, 7 = Kellner
(4, 5, 6, 7 = III Dienstleistungen)

10 Martina: Ich mache eine <u>Ausbildung</u> zur Einzelhandelskauffrau, in einem <u>Kaufhaus</u>. …
Martina: Ja, mein <u>Ausbilder</u> ist nett und die Arbeit ist auch o.k. Aber ich bin als <u>Azubi</u> allein. Zum Glück gehe ich zweimal in der Woche zur <u>Berufsschule</u>. Da sind auch ein paar Freundinnen von mir. Und was machst du?
Daniel: Ich suche noch einen <u>Ausbildungsplatz</u> als Maurer. Ich will ins <u>Handwerk</u>.

12 A = die Arbeit;
B = Computerspezialisten;
C = zuverlässig und ordentlich;
D = Die meisten Auswanderer sind <u>in die Schweiz</u> gegangen.
E Etwa 14.000 sind <u>in die USA</u>, ausgewandert, …
F nach Österreich <u>11.000</u> und
G etwa 10.000 <u>nach Polen.</u>

13 A: Anita Pohl arbeitet in einem Tourismuszentrum in einem Ski-Gebiet in Österreich als Kellnerin.
B: Die Landschaft gefällt ihr sehr.
C: Für die (laufende) Saison hat sie einen sicheren Arbeitsplatz. Wie es danach ist, das weiß sie noch nicht.

15 A Brian ist vier Wochen lang an der „Sommeruniversität" in Marburg. Er macht dort einen Deutsch-kurs und lernt viel über deutsche Kultur, Politik und Wirtschaft.
B In Marburg gibt es Fachwerkhäuser, ein Schloss, eine sehr alte Universität und einen Fluss (Lahn).
C Brian findet die Stadt schön.
D Er kommt aus den U.S.A.

16

	1	A	R	M	B	A	N	D	U	H	R	E	N		
		2	A	R	B	E	I	T	S	P	L	A	T	Z	
3	A	U	S	W	A	N	D	E	R	N					
			4	H	A	N	D	E	L						
	5	B	Ü	R	O	A	S	S	I	S	T	E	N	T	I	N
		6	R	A	S	T	S	T	Ä	T	T	E	N		
	7	A	U	S	B	I	L	D	U	N	G				
	8	V	E	R	K	E	H	R							
		9	U	N	I	V	E	R	S	I	T	Ä	T		
10	K	R	A	N	K	E	N	S	C	H	W	E	S	T	E	R	N
	11	S	E	M	E	S	T	E	R						
		12	S	C	H	U	L	A	B	S	C	H	L	U	S	S
13	A	U	T	O	B	A	H	N	E	N					
		14	R	E	G	E	N	T	A	G	E				

Quellenverzeichnis

S. 4   Foto Begrüßung: Sybille Freitag; D-A-CH-Karte: Polyglott

S. 5   Reichstag Berlin: shutterstock.com; Wien: Fiaker vor Parlamentsgebäude: Lutz Rohrmann; Bern: Bundeshaus: Roland Zumbühl, www.picswiss.ch

S. 6   Berner Münster: Roland Zumbühl, www.picswiss.ch; Livia Esposito: shutterstock.com (Andresr_26891425); Zytgloggeturm: shutterstock.com (Tan Wei Ming); Rathaus: Roland Zumbühl, www.picswiss.ch

S. 7   Schloss Schönbrunn: shutterstock.com; Sisi-Museum und Burgtheater: Georg Hellmayr; Naturhistorisches Museum und Prater: Lutz Rohrmann

S. 8   Allianz-Arena: pixelio (Doris Patenge); Olympiazentrum: shutterstock.com (Etien Jones); Hofbräuhaus, Schloss Nymphenburg, Viktualienmarkt und Frauenkirche: Albert Ringer

S. 9   Hafen: Cordula Schurig; St. Michaelis: Fotolia (Jay Dee); Karte: Nikola Lainovic St. Pauli-Elbtunnel, Hafen-City, Fachwerkhäuser in der Deichstraße und Speicherstadt: Gisela Grobusch

S. 10   Foto Gemälde Raffael, Sixtinische Madonna: Linda Grätz; Hofkirche: shutterstock.com (Marek Slusarczyk); Fürstenzug, Zwinger, Elbe mit Blick auf Frauenkirche und Semperoper im Frühling: © Christoph Münch, Dresden Marketing GmbH

S. 11   Geldmünzen/-scheine, Haribo und Toblerone: Albert Ringer Fürst-Mozartkugeln: mit freundlicher Genehmigung von: Café-Konditorei Fürst GmbH, Salzburg

S. 12   Kaffeegedecke und Café Sperl, Wien: Albert Ringer

S. 14   Hamburger: shutterstock.com (Bob Byrin); Berliner (Krapfen): pixelio (Stephanie Hofschlaeger); Dresdner Christstollen: pixelio (Claudia Hautum); Nürnberger Bratwürstchen und Zürcher Geschnetzeltes: Fotolia; Wiener Schnitzel: Fotolia (Franz Pflügl); Linzer Torte und Münchner Weißwurst: Albert Ringer; Frankfurter Kranz und Kassler mit Sauerkraut: Vanessa Daly

S. 15   Familienessen: Pavel Losevsky, Fotolia

S. 17   Rösti: StockFood_019112

S. 18   Palatschinken: Albert Ringer; Kaiserschmarrn: Fotolia

S. 19   Wiener Naschmarkt: Ushuaia, pixelio; Hamburger Fischmarkt: Gisela Grobusch

S. 20   Basler Herbstmesse: Roland Zumbühl, www.picswiss.ch Nürnberger Christkindlesmarkt: mit freundlicher Genehmigung der Tourismus-Zentrale Nürnberg

S. 21   A: Frühling bei München: Albert Ringer; B: Bodensee: Pixelio (Paul Biagiolli); C: Herbst im Schwarzwald: Lutz Rohrmann; D: Winter in Bergün, Kanton Graubünden, Schweiz: Roland Zumbühl, www.picswiss.ch

S. 23   Kölner Kaviar: Albert Ringer; Kölner Dom: shutterstock.com (Manfred Steinbach); Kölner Karneval: mit freundlicher Genehmigung von www.koelntourismus.de; Leipziger Buchmesse: © Leipziger Messe GmbH; Media City Leipzig: mit freundlicher Genehmigung der DREFA Media Holding GmbH, Leipzig; Zürich mit Blick auf Fraumünster: pixelio (Judith O.)

S. 24   von oben nach unten: Vierwaldstättersee: Roland Zumbühl, www.picswiss.ch; Sylt: pixelio (Andreas Locke); links: Donau mit Blick auf Dürnstein: pixelio (Adolf Riess); rechts: Rhein: Fotolia (Bernd Kröger); Neusiedler See: pixelio (Ibefisch)

S. 27   Hotel am Markt: Albert Ringer

S. 28   Foto Pension Heisenhof: mit freundlicher Genehmigung der Familie Riedmann Foto rechts: Christian Seiffert Foto unten: Schilf: Albert Ringer

S. 29   Platz mit Fachwerkhäusern: Corel Germany; Konstruktionszeichnung Fachwerkhaus: Nikola Lainović

S. 30   Foto oben: pixelio (Bobby Metzger); Foto unten: Albert Ringer; Bevölkerungszahlen für Österreich: © Statistik Austria

S. 31   Fotos A und B: Christian Seiffert; Foto C: Albert Ringer; Foto D: pixelio (Hartmut)

S. 32   Foto Plattenbau: pixelio (Bardewyk.com); Foto links: Albert Ringer

S. 34   Fotos: Sabine Reiter

S. 35   Rolex-Uhren: pixelio (Dieter Haugk); Swatch-Uhren: Helen Schmitz

S. 36   Foto oben: Anke Zahlmann; LKW-Fahrer: shutterstock.com; Festspielhaus Bayreuth: pixelio; Ingolstadt: pixelio (Hartmut910)

S. 37   Hermes Sprinter: © Hermes Logistik Gruppe, www.ottogroup.com; Autobahn: pixelio (Franz Haindl)

S. 40   Kellnerin: pixelio (Kunstzirkus)

S. 41   Universität Marburg: Foto links: Rolf Wegst; rechts: Oliver Geyer

S. 43   Foto Regen: pixelio (by knipseline)